EMERGENCY
SPANISH

Thea Braam

40 day-to-day situations

SANTANA'S EMERGENCY SPANISH

Published by Ediciones Santana, S.L.
Apartado 41
29650 Mijas-Pueblo (Málaga)
Spain

Tel: (0034) 952 48 58 38   Fax: (0034) 952 48 53 67
E-Mail: info@santanabooks.com
www.santanabooks.com

Printed in Spain by Gráficas San Pancracio, S.L.

ISBN: 978-84-89954-78-6
Depósito Legal: MA-1.176/2008

Contents

Contents

Contents

REMEMBER THIS NUMBER

112

Wherever you are in Spain, if you call this number you will be put through to the most important emergency services:

Fire Brigade *(Bomberos)*

Ambulance *(Ambulancia)*

Police *(Policía)*

As well as speaking Spanish, the operator will understand English and possibly other languages.

Useful emergency numbers

Ambulance *(Emergencias sanitarias)*	061
Fire Brigade *(Bomberos)*	080
Civil Guard *(Guardia Civil)*	062
National Police *(Policía Nacional)*	091
Domestic violence *(Violencia de género)*	016
Telephone breakdowns *(Averías)*	1002

Note your local emergency numbers here:

Municipal Police *(Policía Local)*

Doctor *(Médico)*

Hospital *(Hospital)*

Plumber *(Fontanero)*

Electrician *(Electricista)*

Town hall *(Ayuntamiento)*

Nearest neighbour/relative

Lawyer *(Abogado)*

Help!
¡Socorro!

There has been an accident.
Ha ocurrido un accidente.

Can you help me?
¿Puede ayudarme?

Please call:
Llame:

an ambulance
a una ambulancia

a doctor
al médico

the police
a la policía

the fire brigade
a los bomberos

the highway patrol
a la Guardia Civil de Tráfico

mountain rescue services
al servicio de rescate de montaña

Take me/him/her/us to the Casualty Department.
Lléveme/lo/la/nos a Urgencias.

It is urgent! Hurry!
¡Es urgente! ¡Dése prisa!

Does anybody know first aid?
¿Alguien sabe primeros auxilios?

Somebody is trapped.
Alguien está atrapado.

He/she has had a heart attack.
Le ha dado un infarto/un ataque cardíaco.

He/she is drowning.
Él/ella se está ahogando.

He/she cannot swim.
Él/ella no sabe nadar.

Is there a lifeguard here?
¿Hay un socorrista por aquí?

He/she has collapsed.
Él/ella ha sufrido colapso.

Somebody has fallen.
Alguien se ha caído.

He/she has been electrocuted.
Se ha electrocutado.

I have a sharp pain in my chest.
Tengo un dolor fuerte en el pecho.

I can't breathe.
No puedo respirar.

I am losing blood.
Estoy perdiendo sangre.

Stop!
¡Pare!

Thief!
¡Ladrón!

I have been robbed/attacked/raped.
Me han robado/atacado/violado.

I want to report a crime/a robbery.
Quiero denunciar un crimen/un robo.

Somebody has been killed.
Han matado a alguien.

Somebody has picked my pocket.
Alguien me ha quitado la cartera.

My wallet/money/watch/camera/car/bike/
motorbike/bag has been stolen.
*Me han robado el monedero/el dinero/el reloj/la
cámara/el coche/la bici/la moto/el bolso.*

I need a certificate from the police for the
insurance.
*Necesito un certificado de la policía para el
seguro.*

What was in your bag?
¿Qué contenía su bolso?

Please, make a list of the contents of your bag.
Hágame el favor de hacer una lista del contenido de su bolso.

My boy/girl has been raped.
Mi niño/niña ha sido violado/violada.

My son/daughter/father/mother/grandfather/grandmother has disappeared.
Mi hijo/hija/padre/madre/abuelo/abuela ha desaparecido.

Stop the traffic.
Pare el tráfico.

Please call the Civil Guard.
Llame a la Guardia Civil.

There has been an accident.
Ha ocurrido un accidente.

We need an ambulance.
Necesitamos una ambulancia.

Call the fire brigade.
Llame a los bomberos.

Somebody is trapped.
Alguien está atrapado.

The person is unconscious.
La persona está inconsciente.

He/she doesn't move.
Él/ella no se mueve.

Don't go too close. The car could catch fire.
No se acerque. El coche puede estallar.

I think I have concussion/a broken leg/a broken arm/an internal injury.
Creo que tengo una conmoción cerebral/ una pierna partida/ un brazo partido/una lesión interna.

Don't touch anything.
No tocar nada.

Careful!
¡Cuidado!

Don't move him/her until the ambulance comes.
No lo/la mueva hasta que llegue la ambulancia.

There is someone in the burning car.
Hay alguien en el coche ardiendo.

He/she was run down by a car.
Un coche lo/la atropelló.

He/she has been electrocuted.
Se ha electrocutado.

He/she fell off a ladder.
Se ha caído de la escala/escalera.

He/she fell out of a tree.
Se ha caído del árbol.

He/she was scalded by hot water.
Se ha quemado con agua caliente.

I cut myself with a saw/knife. I am losing blood.
Me he cortado con una sierra/un cuchillo. Estoy perdiendo sangre.

He/she has been bitten by a dog.
Un perro lo/la ha mordido.

I have been bitten by a dog.
Un perro me ha mordido.

Your dog attacked me. Has it been vaccinated against rabies?
Su perro me ha atacado. ¿Tiene todas las vacunas?

Do I need a tetanus shot?
¿Necesito una vacuna del tétanos?

Call the fire brigade.
Llame a los bomberos.

I have a fire in my house.
Hay un incendio en mi casa.

The trees are burning near my property.
Los árboles están ardiendo cerca de mi propiedad.

The barbecue has sparked a fire.
Una chispa de la barbacoa se ha saltado.

The fire is out of control.
El incendio está fuera de control.

The flames are dangerously close.
Las llamas están muy cerca.

He/she has had a heart attack.
Le ha dado un infarto/un ataque cardíaco.

He/she has collapsed. It may be a stroke.
*Él/ella ha sufrido colapso. Puede ser una
aplopejía/una trombosis/un derrame cerebral.*

I can't move.
No puedo moverme.

My father is disabled.
Mi padre es minusválido.

My mother is asthmatic.
Mi madre es asmática.

My sister is epileptic.
Mi hermana es epiléptica.

My husband has arthritis.
Mi marido tiene artritis/artrosis.

I have a sharp pain in my chest.
Tengo un dolor fuerte en el pecho.

I can't breathe.
No puedo respirar.

My back hurts.
Me duele la espalda.

I have a pain in my shoulder/neck/leg/knee/hip.
Me duele el hombro/ el cuello/la pierna/la rodilla/ la cadera.

I have a bruise on my forehead/arm/leg.
Tengo un cardenal en la frente/el brazo/la pierna.

I have a swollen knee/ankle.
La rodilla/el tobillo está hinchada/o.

I have headache, toothache/backache/stomach-ache/ear-ache/a sore throat.
Tengo dolor de cabeza/de muelas/de espalda/de estómago/de oídos/de la garganta.

I have twisted my ankle/finger.
Me he torcido el tobillo/el dedo.

I have sprained a muscle in my foot.
Tengo un esguince en el pie.

I am allergic to:
Tengo alergia a:

seafood
los mariscos

nuts
las nueces

custard apples
las chirimoyas

cats
los gatos

dogs
los perros.

I have high/low blood pressure.
Tengo la tensión alta/baja.

I have diabetes.
Tengo diabetes.

I am diabetic.
Soy diabético/diabética.

The sugar level is high/low.
El nivel de azúcar está alto/bajo.

I have a temperature.
Tengo fiebre.

I have the flu.
Tengo la gripe.

I feel sick.
Tengo náuseas.

I have a cold.
Estoy resfriado/resfriada. Tengo un resfriado.

My sinuses are blocked.
Estoy constipado/constipada.

Urinating hurts.
Me duele al orinar.

There is blood in my stool.
Tengo sangre en las heces.

I have been sick.
He vomitado.

I have not moved my bowels for a week.
Llevo una semana sin evacuar.

I am constipated.
Estoy estreñido/estreñida.

I am pregnant.
Estoy embarazada.

I am bleeding slightly.
Tengo manchas de sangre.

I am exhausted. I have no energy.
Estoy agotado/agotada. No tengo energía.

My son/daughter has chickenpox.
Mi hijo/hija tiene la varicela.

My son/daughter has measles.
Mi hijo/hija tiene sarampión.

My son/daughter has mumps.
Mi hijo/hija tiene las paperas.

My son/daughter has red spots.
Mi hijo/hija tiene manchas rojas.

The boy has swallowed a coin.
El niño se ha tragado una moneda.

The girl has swallowed a button.
La niña se ha tragado un botón.

I would like to see a:
Quiero ver a un:

gynaecologist
ginecólogo

optician
oculista

ophthalmologist
oftalmólogo

paediatrician
pediatra

ear, nose and throat specialist
otorrinolaringólogo

dermatologist.
dermatólogo.

DENTIST 14
DENTISTA

I have toothache.
Tengo dolor de muelas.

I have a broken tooth/molar/filling/crown.
Se me ha partido un diente/una muela/un empaste/una corona.

The wisdom tooth needs to be pulled out.
Hace falta sacar la muela del juicio.

The gum is infected/swollen.
La encía está inflamada/hinchada.

Have you got something for a:
¿Tiene algo para:

cough
la tos

diarrhea
la diarrea

dizziness
el mareo

headache
un dolor de cabeza

hangover
la resaca

I would like some aspirins.
Quiero unas aspirinas.

My eye is inflamed. Have you got any antibiotics?
Tengo el ojo inflamado. ¿Tiene algún antibiótico?

Somebody is in difficulties.
Alguien está en apuros.

Please help! He/she is drowning.
¡Socorro! Él/ella se está ahogando.

He/she cannot swim.
Él/ella no sabe nadar.

He/she has cramp.
Él/ella tiene calambre.

Is there a lifeguard here?
¿Hay un socorrista por aquí?

His boat/windsurfer is drifting out to sea.
El viento se lleva su barco/su tabla de windsurf.

Can you call a rescue service?
¿Puedes llamar al servicio de rescate?

There are dangerous currents.
Hay corrientes peligrosas.

The sea is too rough to swim.
El mar está demasiado revuelto para nadar.

The red flag is up. Don't go into the water.
Ondea la bandera roja. No se meta en el mar.

I have been stung by a jelly fish.
Una medusa me ha picado.

These stings are very painful. Have you something against the pain?
Estas picaduras duelen mucho. ¿Tiene algo para aliviar el dolor?

I have cut my foot on some glass.
Unos cristales me han cortado el pie.

I think I have sunstroke. I feel dizzy.
Creo que sufro una insolación. Estoy mareado/mareada.

Is there a First Aid station?
¿Hay un puesto de primeros auxilios?

Does anybody know first aid?
¿Alguien sabe dar primeros auxilios?

A person was struck by lightning.
Una persona fue alcanzada por un rayo (relámpago).

There has been an accident on the mountain.
Ha ocurrido un accidente en la montaña.

A climber/hiker has suffered a fall. He may have broken something.
Un montañero/excursionista se ha caído. Puede haberse partido algo.

Can you call the mountain rescue services?
We need a stretcher and painkillers.
¿Puede llamar al servicio de rescate montañero?
Necesitamos una camilla y unos calmantes.

Is there any shelter near here? Is there a mountain refuge?
¿Hay dónde cobijarse por aquí? ¿Hay un refugio por aquí?

I have sprained my ankle.
Me he torcido el tobillo.

I am exhausted. I cannot walk any more.
Estoy agotado/agotada. No puedo más.

Visibility is very bad. We cannot find the way.
Hay poca visibilidad. No encontramos el camino.

We are lost and cannot find the correct path.
Nos hemos perdido y no encontramos el camino correcto.

We have no food or water.
No tenemos ni comida ni agua.

There is a forest fire. We can see smoke.
Hay un incendio en la montaña. Se ve humo.

I have been bitten by a snake. I need an antidote.
Me ha mordido una serpiente. Necesito un antídoto.

The transfer hasn't arrived.
La transferencia no ha llegado.

My bank sent the money two weeks ago.
Mi banco mandó el dinero hace dos semanas.

The ATM (cashpoint machine) is out of order.
El cajero automático no está disponible/no funciona.

I can't remember my PIN number.
No me acuerdo de mi PIN.

The ATM has taken my card.
El cajero automático se ha quedado con mi tarjeta/ha retenido la tarjeta/no me ha devuelto la tarjeta.

The cashpoint card is damaged.
La tarjeta está estropeada.

I have lost my travellers' cheques. These are the numbers.
He perdido los cheques de viaje. Éstos son los números.

I have lost my credit card/direct debit card.
He perdido la tarjeta de crédito/de débito.

I need my bank statement.
Yo necesito un extracto de la cuenta.

Can I recharge my mobile phone at the ATM?
Se puede recargar el móvil en el cajero automático?

Can you please explain my statement. I think it is incorrect.
Hágame el favor de explicarme el extracto. Me parece incorrecto.

The bank has not paid my electricity/telephone bill.
El banco no ha pagado las facturas de la electricidad/el teléfono.

You should sign a standing order for the bills pertaining to the house.
Hay que domiciliar las facturas de la casa.

Water is coming through the ceiling.
Hay una gotera en el techo.

There is a water stain on the ceiling.
Hay una mancha de humedad en el techo.

The rain is coming in through the window frame.
La lluvia entra por el bastidor de la ventana.

The bathroom tiles have come loose.
Los azulejos del baño se han soltado.

There is a bad smell in the bathroom.
El baño huele mal.

The septic tank has to be emptied.
Hay que vaciar el pozo negro.

The wind has blown off various tiles.
El viento se ha llevado varias tejas.

There are cracks in the new wall.
Hay grietas en la pared nueva.

Water is leaking out of the swimming pool.
Hay un escape de agua de la piscina.

The toilet won't flush.
El wáter no funciona/No se puede tirar de la cisterna.

The toilet is blocked.
El wáter está atorado.

The sink is blocked.
El lavabo está atascado.

There is no water.
No hay agua.

There is no hot water.
No hay agua caliente.

The water deposit overflows.
El depósito de agua se desborda.

The ballcock has got stuck.
El flotador se ha atrancado.

It needs decalcifying.
Hace falta descalcificarlo.

There is a lot of lime in the water. It is very hard.
El agua tiene mucha cal. Es muy dura.

The water heater doesn't work.
El calentador de agua no funciona.

It won't light up.
No arranca.

The pilot light keeps going out.
La llama del piloto se apaga.

The tap is dripping.
El grifo gotea.

There is hot steam coming out of the tap.
Vapor caliente sale del grifo.

The thermostat doesn't work.
El termostato no funciona.

Where do I turn off the water supply?
¿De dónde se corta el agua?

Where is the stop-cock?
¿Dónde está la llave de paso?

The shower head is broken.
El rociador de la ducha no funciona.

There is a smell of gas.
Huele a gas.

The waterpipe is leaking.
El tubo de agua está picado.

The waterpipe has burst.
El tubo de agua se ha roto.

There is no electricity.
No hay electricidad.

Sparks are coming out of the socket.
Chispas salen del enchufe.

The switch won't work.
El interruptor no funciona.

The fuse has blown.
El fusible se ha saltado.

The wire is live.
El hilo está con corriente.

I don't know how to change a light bulb.
No sé como cambiar la bombilla.

There is a snake in the garden.
Hay una serpiente en el jardín.

The wind has uprooted the orange tree.
El viento ha arrancado el naranjo.

The snails have eaten the plants.
Los caracoles se han comido las plantas.

There is an infestation of caterpillars.
Hay una plaga de orugas.

The frost has burnt the fruit trees.
La helada ha quemado los frutales.

Can you please repair my telephone line?
Hágame el favor de reparar la línea telefónica.

There is no dialling tone.
No tengo línea.

Can you come as soon as possible?
¿Puede venir lo antes posible?

The telephone line is not working.
El teléfono no funciona.

There is crackling on the line.
Hay un zumbido en la línea.

I can't hear the other person.
No se oye a la otra persona.

Lines are crossed.
Las líneas se han cruzado.

Can you tell me when I shall get a telephone?
I have been on your waiting list for three months/
three years.
¿Puede decirme cuándo voy a tener teléfono?
Llevo tres meses/tres años en la lista de espera.

I applied for the telephone one month/one year ago.
Solicité el teléfono hace un mes/un año.

No, I do not want a party line.
No, no quiero una línea compartida.

Have you got a computer with instructions in English?
Hay un ordenador con las instrucciones en inglés?

I can't connect to the internet.
No puedo conectar con Internet.

My computer has crashed.
Se ha estropeado el ordenador.

I have lost all my data.
He perdido todos los datos.

This computer doesn't work.
Este ordenador no funciona.

The computer has frozen.
El ordenador se ha quedado colgado/se ha quedado pillado.

The monitor doesn't light up.
La pantalla no se ilumina.

The printer isn't working.
La impresora no funciona.

The printer is showing a red light.
Hay luz roja en la impresora.

The mouse doesn't work.
El ratón no funciona.

I think a virus has hit my computer.
Creo que hay un virus en el ordenador.

It is very late.
Ya es muy tarde.

Could you please turn down the volume of your TV/radio/stereo?
¿Quiere bajar el volumen del televisor/la radio/el equipo de música? Por favor.

We cannot sleep because of the noise from your swimming pool.
Nos es imposible dormir por el ruido de su piscina.

Ask your children/guests to stop screaming in the pool.
Pida a sus hijos/invitados que dejen de chillar en la piscina.

We would like to rest at the weekend but your building work/cement mixer is disturbing us.
Queremos quedarnos en la cama hasta tarde los fines de semana pero el ruido de sus obras/de la hormigonera nos molesta.

Is it necessary to do this noisy drilling on the weekends?

¿Es necesario taladrar con tanto ruido los fines de semana?

Your dog is making a lot of noise and we cannot sleep.

Su perro hace mucho ruido y no nos deja dormir.

Can you please stop your dog barking?

¿Usted puede hacer algo para que su perro deje de ladrar?

The wall you are building is too close to my window/terrace.

La pared en construcción está demasiado cerca de mi ventana/terraza.

You are building too close to my property.

Está haciendo obras demasiado cerca de mi propiedad.

The bar plays loud music until very late.
El bar pone la música fuerte hasta muy tarde.

The motorbikes are holding races past my house.
Las motos hacen carreras por delante de mi casa.

We can't sleep for the noise from the youngsters' street party.
No se puede dormir por el ruido del botellón.

This jacket has changed colour.
Esta chaqueta ha cambiado de color.

The sweater has shrunk.
El jersey ha encogido.

The cardigan has lost its buttons.
Los botones de la rebeca se han perdido.

The colours have run.
Los colores se han desteñido.

I need these clothes for tonight.
Necesito la ropa para esta noche.

The dirty spots have not come out.
No se han quitado las manchas.

There is a tear in this blouse.
Esta blusa se ha rajado.

There are two buttons missing from this skirt.
Faltan dos botones de esta falda.

This perm has burnt my hair.
Esta permanente me ha quemado el pelo.

My hair is falling out.
Se me está cayendo el pelo.

You are cutting too much off.
Me está pelando demasiado.

You have cut my chin.
Me ha cortado la barbilla.

Don't touch my eyebrows.
No tocar las cejas.

I have got hairs under my shirt.
Tengo pelos debajo de la camisa.

Can you repair my car?
¿Puede arreglar mi coche?

Can you check everything?
¿Quiere revisar el coche?

It is urgent. I need the car by tomorrow.
Es urgente. Necesito el coche para mañana.

You have not done the work I asked for.
No ha hecho todo el trabajo que le pedí.

The car won't start.
El coche no arranca.

The windscreen is broken.
El parabrisas se ha roto.

There are cracks in the windscreen.
Hay grietas en el parabrisas.

The wipers are worn. They need replacing.
Los limpiaparabrisas están gastados. Hay que renovarlos.

I have lost the car key.
He perdido la llave del coche.

The car has a puncture.
El coche tiene un pinchazo.

The brakes don't work.
Los frenos no funcionan.

The fan belt is broken.
La correa de ventilador está rota.

There is something the matter with the clutch.
Le pasa algo al embrague.

The lights need new bulbs.
Los faros necesitan bombillas nuevas.

This car hasn't got a spare bulb/wheel.
Este coche no lleva bombilla/rueda de repuesto.

I have run out of petrol/oil/water.
Me he quedado sin gasolina/aceite/agua.

The engine overheats.
El motor se recalienta.

I need a new tyre.
Necesito un nuevo neumático.

I have got a flat battery.
Se me ha descargado la batería.

I need a new exhaust pipe.
Necesito un tubo de escape nuevo.

I can't open the bonnet.
No puedo abrir el capó.

x

There is a cockroach in the shower.
Hay una cucaracha en la ducha.

There is a mosquito in the room.
Hay un mosquito en la habitación.

I cannot sleep because of the noise from the next room.
No puedo dormir por el ruido de la habitación de al lado.

The TV/heating/airconditioning does not work.
El televisor/la calefacción/el aire acondicionado no funciona.

There is a cold draught.
Hay una corriente fría.

My breakfast has not arrived.
No ha llegado el desayuno.

Where is my luggage?
¿Dónde está mi equipaje?

My luggage has disappeared.
Mi equipaje ha desaparecido.

Has my luggage appeared yet?
¿Ya ha aparecido mi equipaje?

You said you would keep it until my departure.
Ha prometido guardarlo hasta mi salida.

This bill is not correct.
Esta factura no es correcta.

This is not what I ordered.
Ésto no es lo que yo pedí.

This "fresh" fish is frozen in the middle.
Este pescado "fresco" está congelado en el centro.

This dish is cold. Please heat it up.
Este plato está frío. Hágame el favor de calentarlo.

The meat is not done/half-cooked.
La carne está cruda/media hecha.

This wine is corked/warm/cold/undrinkable.
Este vino sabe a corcho/está caliente/está frío /no se puede beber.

The bill appears to be incorrect.
La cuenta parece incorrecta.

The bill has prices different from those on the menu.
Los precios de la cuenta no coinciden con los de la carta.

There is lipstick on my glass.
Hay rojo de labios en la copa.

I am not satisfied. Please bring me your complaints form.

No estoy satisfecho/satisfecha. Tráigame el libro de reclamaciones.

I have cut my foot on a tile.
Me he rajado el pie con un azulejo.

There is blood in the water.
Hay sangre en el agua.

My watch has fallen to the bottom of the pool.
Mi reloj se ha caído al fondo de la piscina.

There is somebody at the bottom of the pool.
Hay una persona en el fondo de la piscina.

Call the lifeguard.
Llame al socorrista.

My son/daughter has slipped on the edge of the pool.
Mi hijo/hija se ha resbalado en el filo de la piscina.

Those kids keep jumping into the pool.
Esos niños no dejan de saltar al agua.

Please go slower/faster.
No corra tanto. Corra más.

You are charging too much.
Me cobra demasiado.

That is not the official rate.
Ésa no es la tarifa oficial.

Is this the correct route? I want to go the most direct way.
¿Vamos por la ruta correcta? Quiero ir por el camino más directo.

Please turn the radio down.
Baje el volumen de la radio, por favor.

Turn the airconditioning up/down, please.
Ponga el aire acondicionado más fuerte/menos fuerte, por favor.

Please, don't smoke.
Hágame el favor de no fumar.

Drop me off at the corner.
Bájeme en la esquina.

The plane/train/bus is late. I will miss my connection.
El avión/ el tren/el autobús llega tarde. Voy a perder el enlace.

Have you got the new timetable?
¿Tiene el horario vigente?

This timetable is out of date.
Este horario está caducado.

Does that train/bus still run?
¿Ese tren/autobús sigue en funcionamiento?

There is chewing gum on the seat.
Hay chicle en el asiento.

The back of the seat is broken.
La espalda del asiento está rota.

Can I see your complaints book?
Quiero ver su libro de reclamaciones.

I want to see the manager.
Quiero ver al encargado.

Where can I find the office that handles clients/consumers' complaints?
¿Dónde está la oficina de atención al consumidor?

I want to claim a refund. I paid for a 5-star hotel and got a 3-star one.
Quiero reclamar un reembolso. He pagado la tarifa de un hotel de cinco estrellas y me han dado uno de tres estrellas.

I have been slandered/defrauded/robbed/
overcharged/physically attacked.
*Me han difamado/defraudado/robado/cobrado
de más/atacado físicamente.*

I cannot stand the situation any more.
No aguanto más la situación.

I want to take that person/company to court.
*Quiero llevar a juicio a esa persona/esa
compañía.*

I want to claim damages.
Quiero reclamar daños.

I want justice.
Quiero justicia.

Quick guide to pronunciation

Spanish is phonetic.

The vowels – a, e, i, o, and u – are always short and pronounced the same way.

a as in ambulance

e as in bed

i as in police

o as in dog

u as in put

When the vowels a, e and o occur together in a word, they are pronounced separately.

Consonants:

c, before e and i, pronounced as th and as k before a, o and u

ch as ch in chest

g, before e and i, as ch in loch and as g of goat before a, o, u

gu as in guest

h ALWAYS dropped

Quick guide to pronunciation

j as the ch of loch

k as k

ll as y in yolk

qu as k

s as in see

v almost like b

x as ks

y as in yolk

z as th

All words ending in a, e, i, o, u, s, n are stressed on the last-but-one syllable: *cartera, coche, bolso.*

All words ending in a consonant (apart from the s and n mentioned above) automatically get stressed on the last syllable: *reloj, control.*

If a word does not follow the above rules, the stressed syllable is indicated with an accent: *minusválido, asmática, tétanos.*